D1595257

ETHNIC MUSICAL INSTRUMENTS

INSTRUMENTS DE MUSIQUE ETHNIQUE

ETHNIC MUSICAL INSTRUMENTS

Identification — Conservation

INSTRUMENTS DE MUSIQUE ETHNIQUE

Edited by JEAN JENKINS

Published with the help of UNESCO

London
Hugh Evelyn for the
International Council of Museums
1970

First published in 1970 by Hugh Evelyn Ltd
9 Fitzroy Square, London WIP 5AH

© INTERNATIONAL COUNCIL OF MUSEUMS

SBN 238.78958.6

Printed in Great Britain by Harrison & Sons Ltd

Table of Contents

Table des Matières

PREFACE

Ethnic musical instruments are often to be found in ethnographical museums, folk museums, archaeological museums, regional and local museums. Unless the collection of musical instruments is a large and important one, no ethnomusicologist is included on the staff. A curator without specialised training in this field must therefore deal with musical instruments.

Ethnic Musical Instruments has been written to help curators to identify musical instruments by type, and to catalogue, conserve and restore them. It gives a guide to the questions which field collectors should ask, and it concludes with a very short bibliography of well illustrated books.

Ethnic Musical Instruments has been prepared by a working group of the international specialised body on musical instruments (CIMCIM) of the International Council of Museums (ICOM–UNESCO). Members of the working group are mostly ethnomusicologists, and have read and approved each section, and are willing to help curators with problems concerning musical instruments.

Jean Jenkins, Chairman of the group on ethnic musical instruments, Horniman Museum, London S.E. 23, Great Britain

Simha Arom, Institut de Musicologie, 3 rue Michelet, Paris 5e

G. de Chambure, Conservateur du Musée Instrumental du Conservatoire National Supérieur de Musique, 14 rue de Madrid, Paris 8e

Geneviève Dournon-Taurelle, Musée de l'Homme, Palais de Chaillot, place du Trocadéro, Paris 16e

PRÉFACE

Des instruments de musique ethnique se trouvent souvent réunis dans des musées d'ethnographie, d'art populaire, d'archéologie, ou dans des musées communaux et régionaux. A moins que ces instruments ne forment une collection très importante, aucun ethnomusicologue n'est malheureusement attaché au musée. Il incombe donc à un conservateur sans formation spéciale en ce domaine de s'occuper des instruments de musique.

Ce petit livre a été écrit pour aider les conservateurs à identifier les instruments selon leur type, à les cataloguer, à les conserver et à les restaurer. C'est un guide qui répond aux questions que se posent tous ceux procédant à la collecte sur le terrain. A la fin du volume se trouve une brève bibliographie d'ouvrages abondamment illustrés.

Cette étude *Instruments de musique ethnique* a été préparée par un groupe de travail du Comité International des Musées et Collections d'Instruments de Musique (CIMCIM), qui est une des branches spécialisées du Conseil International des Musées (ICOM–UNESCO). Les membres de ce groupe sont, pour la plupart, des ethnomusicologues qui ont collaboré à chaque chapitre et qui sont disposés à aider les conservateurs à résoudre les problèmes sur les instruments de musique qui se posent à eux.

Jean Jenkins, Présidente du groupe des instruments ethniques, Horniman Museum, London S.E. 23, Grande-Bretagne

Simha Arom, Institut de Musicologie, 3 rue Michelet, Paris 5e

G. de Chambure, Conservateur du Musée Instrumental du Conserva-

Ernst Emsheimer, Musikhistoriska Museet, Slottsbacken 6, Stockholm, Sweden

J. S. Laurenty, Musée Royal de l'Afrique Centrale, 13 chaussée de Louvain, Tervuren, Belgium

Claudie Marcel-Dubois, Musée National des Arts et Traditions Populaires, route de Madrid, Paris 16c

Yvonne Oddon, Centre de Documentation UNESCO–ICOM, 1 rue Miollis, Paris 15e

Gilbert Rouget, Musée de l'Homme, Palais de Chaillot, place du Trocadéro, Paris 16e

Erich Stockmann, Deutsches Akademie den Wissenschaften z.i., Geschichte W. B. Volkskunde, Unter den Linden 8, 108 Berlin, D.D.R.

Anthony Werner, British Museum, Great Russell Street, London W.C.1

toire National Supérieur de Musique, 14 rue de Madrid, Paris 8e

Geneviève Dournon-Taurelle, Musée de l'Homme, Palais de Chaillot, place du Trocadéro, Paris 16e

Ernst Emsheimer, Musikhistoriska Museet, Slottsbacken 6, Stockholm, Suède

J. S. Laurenty, Musée Royal de l'Afrique Centrale, 13 chaussée de Louvain, Tervuren, Belgique

Claudie Marcel-Dubois, Musée National des Arts et Traditions Populaires, route de Madrid, Paris 16e

Yvonne Oddon, Centre de Documentation UNESCO–ICOM, 1 rue Miollis, Paris 15e

Gilbert Rouget, Musée de l'Homme, Palais de Chaillot, place du Trocadéro, Paris 16e

Erich Stockmann, Deutsches Akademie den Wissenschaften z.i., Geschichte W. B. Volkskunde, Unter den Linden 8, 108 Berlin, R.D.A.

A. E. A. Werner, British Museum, Great Russell Street, London W.C.1, Grande-Bretagne

IDENTIFICATION

Musical instruments must be identified on two quite separate levels: typologically and culturally.

Typological identification is relatively simple, for all instruments, if classified on acoustical principles, fall into one of four major groups. These are:

1. Idiophones (self-sounding instruments)
2. Membranophones (instruments with membranes)
3. Aerophones (wind instruments)
4. Cordophones (stringed instruments)

Each of these classes is divided and subdivided; a definition of each type of instrument is given, together with a line drawing to illustrate it. (The basic classification system of Hornbostel-Sachs, slightly modified, has been used.)

Cultural identification may prove more difficult, because wherever possible both geographical area and the people concerned should be determined.

Insofar as geographical area is concerned, typology is frequently helpful. That is, the *sansa* occurs only in Africa south of the Sahara; the *kora* in West Africa; bamboo jew's harps in South-east Asia and Oceania; the *vina* in India, etc.

More exact identification can be obtained in the same way as for that of other ethnographical specimens: materials, design, ornamentation and workmanship all play a part.

The selective bibliography lists well illustrated books which can help in identification. Finally, if questions of identification remain, members of the group on ethnic musical instruments of CIMCIM will attempt to answer them, especially if a clear photograph is sent, together with measurements, materials and any other information known to the curator.

IDENTIFICATION

On peut identifier les instruments de musique sur deux plans différents: au point de vue typologique, au point de vue culturel.

L'identification typologique est relativement simple: tous les instruments, si on les classe d'après leur principe acoustique, se divisent en quatre groupes principaux. Ce sont les:

1. Idiophones (instruments qui sonnent par eux-mêmes)
2. Membranophones (instruments à membranes)
3. Aérophones (instruments à vent)
4. Cordophones (instruments à cordes)

Chaque groupe est divisé et subdivisé; la définition de chaque type d'instrument est ici illustrée d'un dessin au trait (le système de base adopté pour la classification est celui de Hornbostel-Sachs, légèrement modifié).

L'identification culturelle s'avère souvent plus difficile, car elle demande de savoir à quelle population et à quelle région appartient l'instrument étudié.

Pour déterminer l'aire géographique, la typologie est souvent utile; par exemple, la *sanza* ne se trouve en Afrique qu'au sud du Sahara; la *kora* en Afrique occidentale; les *guimbardes* de bambou dans le sud-est asiatique et en Océanie; la *vina* en Inde, etc...

On peut obtenir une identification plus précise en examinant les instruments comme tous les autres objets ethnographiques, d'après la matière qui les compose, le dessin général, la décoration et la facture.

La bibliographie sélective donne une liste de volumes bien illustrés qui peuvent apporter des éléments facilitant l'identification culturelle. Enfin, si des problèmes d'identification demeurent, il conviendrait d'en informer les membres du groupe

de travail des instruments de musique ethniques du CIMCIM; ceux-ci s'efforceront de les résoudre. Dans ce cas, il faudrait leur envoyer des photographies, des mesures, des détails sur les matériaux employés ou toute autre précision que les conservateurs pourraient fournir.

Idiophones

IDIOPHONES are instruments made of inherently resonant material, which are made to sound by percussion, by bending and release of flexible material, or by friction.

A. **PERCUSSION IDIOPHONES** are subdivided into:

  1. **Concussion idiophones** – similar objects which are struck together.

Idiophones

LES IDIOPHONES sont des instruments faits d'une matière qui résonne par elle-même, par percussion, par flexion et détente d'une matière flexible, ou encore par friction.

A. **IDIOPHONES À PERCUSSION.** Ils se subdivisent en:

  1. **Idiophones frappés par entre-choc:** objets de même nature frappés l'un contre l'autre.

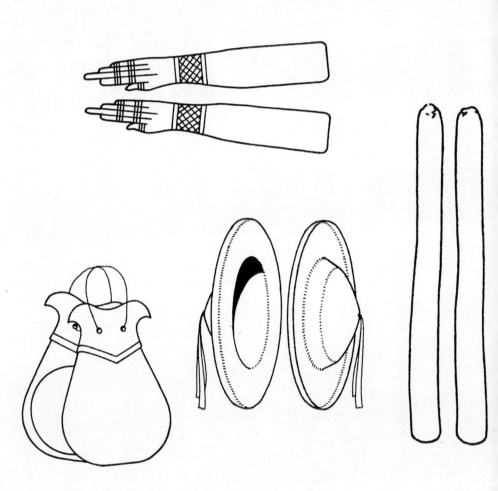

10

2. **Struck idiophones** – resonant material struck with a beater or clapper (attached or free).

    a. percussion troughs, logs, etc.

2. **Idiophones frappés ou percutés:** matériau frappé par une batte ou un battant (libre ou attaché).

    a. chéneaux, bûches, etc. à percussion.

b. bar idiophones, single or compound. If made of wood they are called xylophones; of metal, metallophones; of stone, litophones; of glass, crystallophones.

b. idiophones à barres, simples ou composés. En bois ce sont des xylophones; en métal, des métallophones; en pierre, des lithophones; en verre, des cristallophones.

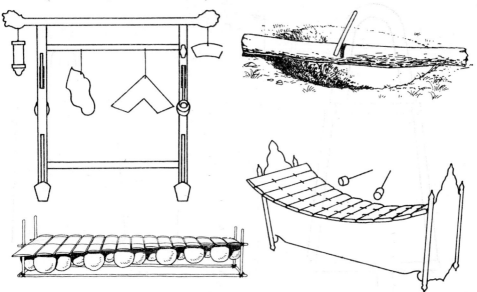

c. gongs : circular metal 'plates, normally struck in the centre to give the maximum sound. Gongs may be flat, bulging or have a central boss.

c. gongs: plaque de métal circulaire que l'on frappe en son centre pour obtenir le son maximal. Les gongs peuvent être plats, renflés, ou à mamelon central.

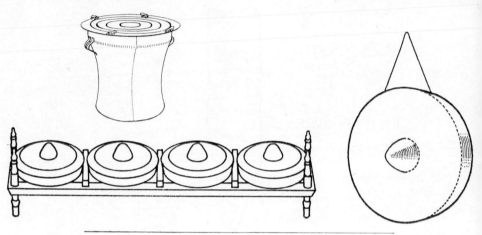

d. bells : differ from gongs, in addition to their form, in that it is the rim rather than the centre which gives the maximum sound.

d. cloches: diffèrent des gongs par la forme et aussi en ce qu'on en fait résonner le bord plutôt que le centre pour obtenir le son maximal.

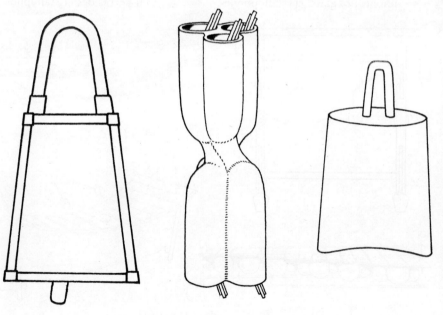

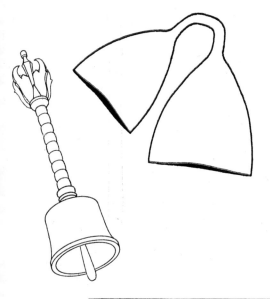

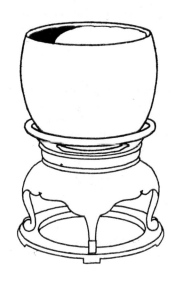

e. slit-drums : hollowed out logs or pieces of bamboo, generally beaten on the edges of the slit.

e. tambours à fente, creusés dans des troncs ou des morceaux de bambous, généralement frappés sur les bords de la fente.

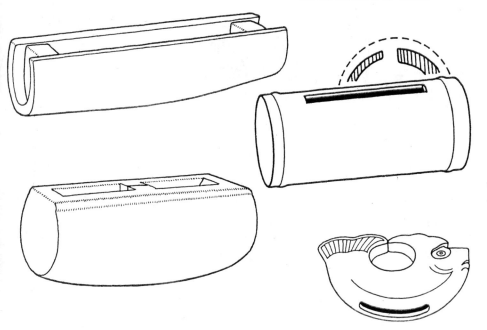

3. **Stamped idiophones** (or stamping idiophones) are hit on the ground, the water, or the body, and include tubes, gourds, logs and sticks.

3. **Idiophones pilonnés** ou pilonnants : ils sont percutés verticalement sur le sol, sur l'eau ou même sur le corps humain. Ce sont des tubes, des calebasses, des troncs ou des bâtons.

---

4. **Shaken idiophones**
    a. rattles : the rattling substance is contained in a seed pod, gourd, basket, box, tube, hollow ring or hollow ball.

4. **Idiophones par secouement**
    a. hochets : les éléments cliquetants sont contenus dans une cosse de graines, une calebasse, un panier, une boîte, un tube, un anneau ou une balle.

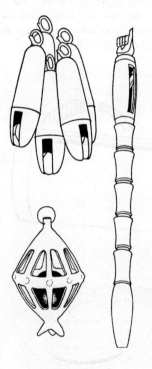

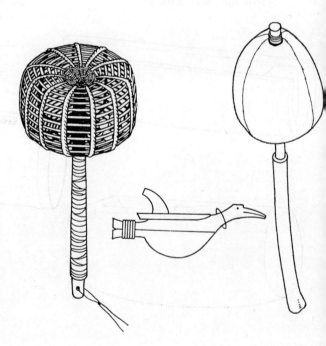

14

b. jingles : in which the jingling
   substance is strung on cords
   (usually nut shells, seeds, coins,
   pieces of horn or bone, rings).

b. sonnailles: en général des coquil-
   lages, des graines, des pièces de
   monnaie, des anneaux, des frag-
   ments de corne ou d'os suspendus
   par des cordes ou des ficelles.

c. sistra : rings or discs strung on
   rods.

c. sistres: disques ou anneaux cli-
   quetants enfilés sur des bâtons.

d. *anklungs* : rattling substance
   (bamboo) slides in a groove.

d. *anklungs*: élément (bambou) glis-
   sant dans une rainure dont il
   heurte les bords.

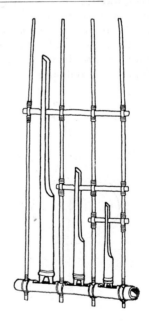

5. **Scraped idiophones** – also called stridulators, rasps, scrapers, or notched sticks, consist of a notched implement, scraped with a rigid object.

5. **Idiophones râclés,** appelés aussi stridulateurs, râpes, râcleurs, bâtons à encoches, sont des instruments à entailles que l'on râcle à l'aide d'un objet rigide.

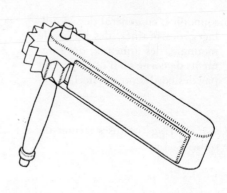

B. **PLUCKED IDIOPHONES — LINGUAPHONES** – in which the sound is produced by the bending and release of flexible material. Linguaphones are divided into:
  1. **Jew's harps** (sometimes called jaw's harps or mouth harps) in which a bamboo or metal tongue is plucked with the fingers and resonated by the mouth (thus being a compound idiophone-aerophone).

B. **IDIOPHONES PAR PINCEMENT OU LINGUAPHONES,** où le son est produit par la flexion et la détente d'une matière flexible. Les linguaphones se subdivisent en:
  1. **Guimbardes,** dans lesquelles une languette de bambou ou de métal est pincée avec les doigts, la bouche servant de résonateur (constituant ainsi un composé d'idiophone et d'aérophone).

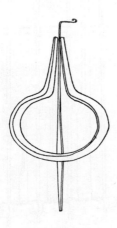

2. **Sansas** (or mbira), consisting of a series of bamboo or iron tongues set into a small box-resonator or flat piece of wood (a gourd resonator may be added). Generally plucked with the thumbs. Africa south of the Sahara only.

2. **Sanzas** ou mbira: jeux de languettes de bambou ou de fer qui sont pincées généralement avec les pouces et qui sont fixées soit sur une petite boîte de résonance, soit sur une planchette (une calebasse servant de résonateur). Ces instruments ne se trouvent qu'en Afrique, au sud du Sahara.

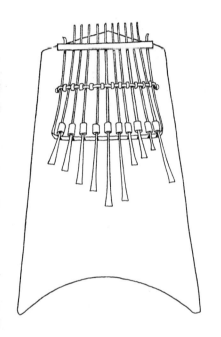
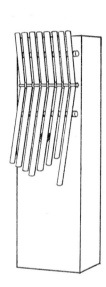

C. **FRICTION IDIOPHONES** – in which a sound is produced by rubbing.

C. **IDIOPHONES PAR FRICTION** qui produisent un son lorsqu'on les frotte.

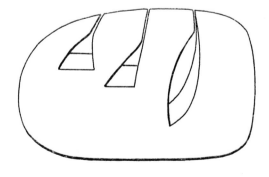

Membranophones

MEMBRANOPHONES are instruments in which the sound is produced by vibration of a stretched membrane. The sound is produced by beating (drums), friction (friction drums) or blowing (mirlitons).

DRUMS may be classified by:
1. **Number of membranes:**
   a. single
   b. double
2. **Typical shape:**
   A. TUBULAR, if the body of the drum is a tube.
      1. Cylindrical

Membranophones

LES MEMBRANOPHONES sont des instruments dans lesquels le son est produit par la vibration d'une membrane tendue. Le son est produit par percussion (tambours), friction (tambours à friction) ou soufflement (mirlitons).

LES TAMBOURS se classent selon:
1. **Le nombre de membranes:**
   a. membrane unique
   b. double membrane
2. **Leur forme typique:**
   A. TUBULAIRE, si le corps du tambour est un tube.
      1. Cylindrique

---

2. Barrel-shaped   2. En tonneau

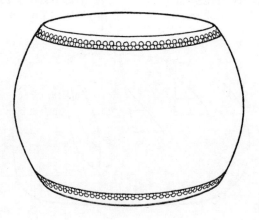

3. Conical

3. Conique

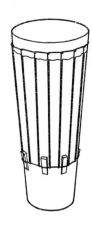

---

4. Hourglass or waisted

4. En sablier, ou cintré

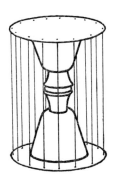

---

5. Footed

5. Sur pied

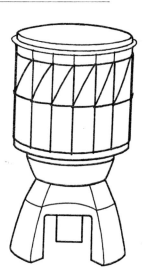

6. Goblet   6. En "gobelet"

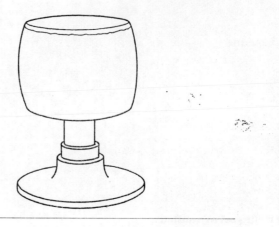

7. Handle drums   7. A anse ou à poignée

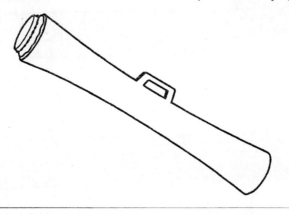

B. KETTLEDRUMS: pot or vessel   B. HÉMISPHÉRIQUE: le corps
forms the body.   est en forme de cuvette: (timbale).

C. FRAME DRUMS: with a frame instead of a body.

C. SUR CADRE: le cadre tenant lieu de corps.

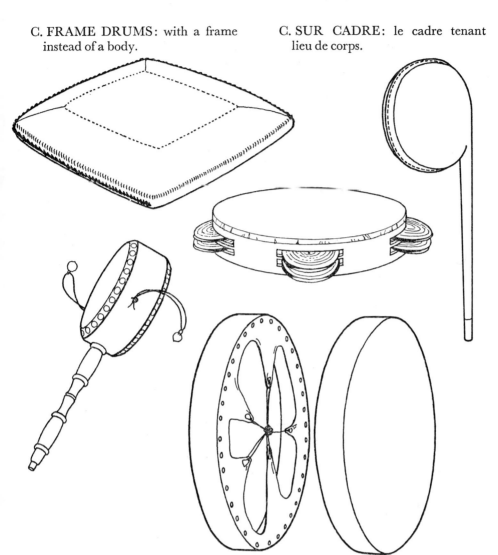

3. **Fastening**
   a. Glued

3. **Le système de fixation de la membrane:** celle-ci peut être
   a. Collée

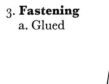

b. Buttoned

b. Boutonnée

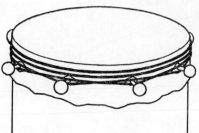
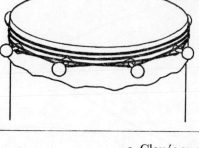

c. Nailed or pegged

c. Clouée ou chevillée

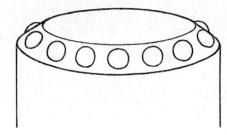
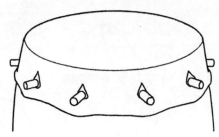

d. Neck-laced: tied with a circular cord near the head

d. Cerclée: fixée au moyen d'une corde passée autour de la partie supérieure du tambour

e. Braced or laced:
  1. Directly attached (laced through holes in the edge of the skin)

e. Cordée ou lacée
  1. Attachée directement: laçage par des oeillets percés sur les bords de la membrane

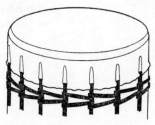

2. Indirectly attached (lacing tied to a ring inside or outside)

2. Attachée indirectement: laçage fixé sur un cercle intérieur ou extérieur

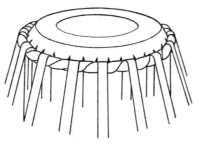

FRICTION DRUMS

These membranophones look like drums, but a cord or stick passes through or on to the membrane. This is twirled, producing sound by friction.

TAMBOURS À FRICTION

Ces membranophones ressemblent à des tambours, mais une corde ou une baguette passe à travers la membrane, par dessus ou à l'intérieur. Corde et baguette produisent le son par friction.

MIRLITONS

Instruments in which the membrane is set in motion by blowing – e.g. voice disguiser, tissue paper over a comb, kazoo, etc.

MIRLITONS

Instruments dont la membrane est mise en vibration par soufflement, par exemple simulateurs de voix, papier de soie sur un peigne, etc.

Aerophones

AEROPHONES, also called wind instruments, are those in, through or around which a quantity of air is made to vibrate. The air is enclosed in a cavity and may be set into motion by the sharp edge of a pipe, (flutes), the action of a reed – beaten or free (reed instruments) – or the compressed lips of the player (horns and trumpets). A few instruments act directly on the outer air: bullroarers, spinning discs, etc.

A. **FLUTES,** in which the vibration is caused by the player blowing obliquely across the sharp edge of a mouth-hole. The length of the column of air, and thus the pitch, is usually changed by means of finger-holes. Flutes are mostly tubular, but may be globular. The position of playing may be vertical, horizontal or oblique.

    1. **Flutes,** in which the upper opening of the tube itself or with the open end sharpened forms the mouth-hole.

Aérophones

LES AÉROPHONES, également appelés instruments à vent, sont ceux dans lesquels, à travers ou autour desquels une certaine quantité d'air est mise en vibration. Contenu dans une cavité, l'air peut être mis en mouvement par l'arête affilée d'un tuyau (flûtes), par l'action d'une anche, battante ou libre (instruments à anches) ou par la pression des lèvres du joueur (cors et trompettes). Quelques instruments agissent directement sur l'air ambiant: rhombes, diables, etc. . . .

A. **FLUTES,** tubes dans lesquels l'exécutant fait vibrer l'air en soufflant obliquement dans l'embouchure affilée de l'instrument. La longueur de la colonne d'air, et par conséquent la hauteur du son, est en général modifiée par les trous de jeu percés dans le tuyau. Les flûtes sont le plus souvent tubulaires, mais elles peuvent aussi être globulaires. La position de jeu peut être verticale, horizontale ou oblique.

    1. **Flûtes:** l'embouchure est formée par l'ouverture supérieure du tuyau soit simplement ouverte, soit taillée en biseau.

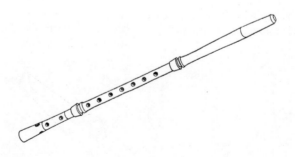

Pan-pipes, or syrinx, are sets of end-blown flutes without finger-holes, bound together, each of which produces one note.

Les flûtes de Pan ou syrinx sont des séries de flûtes droites sans trous de jeu. Elles sont liées ensemble, chacune d'entre elles produisant une note.

---

2. **Notched flutes,** in which the sharp edge of the mouth-hole is formed by cutting a notch in the upper opening of the tube to facilitate blowing.

2. **Flûtes à encoche:** le bord affilé de l'embouchure est formé en pratiquant une encoche sur l'ouverture supérieure du tuyau afin de faciliter l'insufflation.

---

3. **Duct flutes,** some of which are commonly called whistles, in which the upper end is blocked except for a small duct into which the player blows and which directs his breath to the sharp edge of an opening cut into the tube. Most globular flutes are duct flutes.

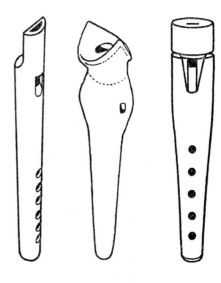

3. **Flûtes à conduit ou à bloc:** certaines, communément appelées sifflets, ont l'extrémité supérieure partiellement bloquée, de sorte que le souffle du joueur, passant par un étroit conduit, est dirigé sur le rebord biseauté d'un orifice ou "lumière" ménagé dans le tuyau. La plupart des flûtes globulaires sont des flûtes à conduit.

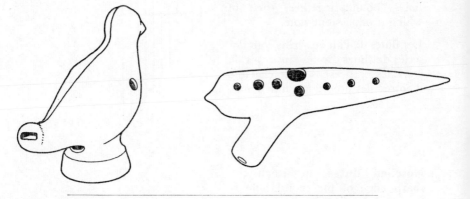

4. **Cross-flutes** or transverse flutes have the upper end closed and the mouth-hole cut in the side of the tube.

    (Note: nose flutes, blown through the nostril instead of the mouth, may be of any form.)

4. **Flûtes traversières:** leur extrémité supérieure est fermée, une embouchure étant pratiquée sur un côté du tuyau.

    (Note: les flûtes nasales, soufflées par les narines au lieu de la bouche, peuvent avoir diverses formes.)

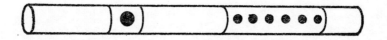

B. REED INSTRUMENTS

1. **Single-reed instruments** (clarinets) are cylindrical tubes usually closed at the upper end, near which is a small breath-hole covered by an obliquely cut tongue (or single beaten reed). The mouthpiece, with the reed, is often separate. (Simple clarinets most often occur in pairs, fastened together.)

    (Note: sometimes there are composite forms mostly made by a junction of a bell made of another material than that of the body.)

B. INSTRUMENTS À ANCHE

1. **Les instruments à anche simple** (clarinettes) sont des tuyaux munis, près de leur extrémité supérieure fermée, d'un petit orifice d'insufflation couvert d'une languette taillée en biais au bord affilé (anche battante simple). Les embouchures avec leur anche se trouvent parfois isolément. Les clarinettes simples se présentent souvent par paires.

    (Note: Un pavillon fait dans une autre matière que celle utilisée pour le corps est parfois ajouté.)

26

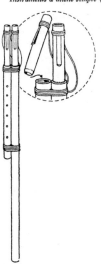

2. **Double-reed instruments** (oboes), in which two reeds or two sides of one reed are bound together and inserted into or at the top of the upper end of a tube, with finger-holes, which generally widens at the base.

2. **Instruments à anche double** (hautbois ou chalumeau), dans lesquels deux languettes – ou les deux côtés d'une anche – liées ensemble, sont insérées dans le haut d'un tuyau ou appliquées sur lui. Ce tuyau, muni de trous de jeu, s'élargit d'habitude vers la base.

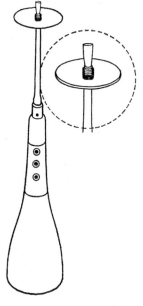

(Note: bagpipes, in which a reservoir is added to increase the steadiness of the wind supply, may belong either to the single-reed or clarinet type or to the double-reed type of chanter. The drones generally have a single reed. Bellows may further control the amount of wind.)

(Note: les cornemuses, qui sont pourvues d'un réservoir destiné à régulariser le volume d'air, peuvent appartenir à la catégorie des clarinettes (anche simple) ou à celle des hautbois (anche double). Les bourdons ont en général une anche simple. Un soufflet peut être ajouté.)

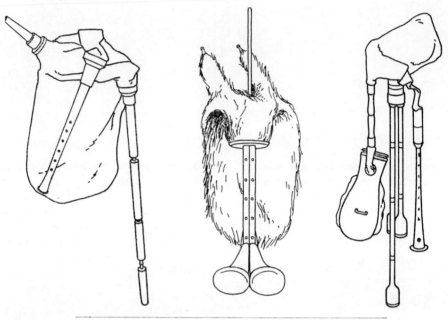

3. **Free-reed instruments,** in which the tongue cut into the tube is almost the same width as the hole, so that it vibrates freely when the column of air is set into motion by blowing the upper end of the tube or a mouth-hole in a wind chest. (Mouth organs, accordians, harmoniums, organs and many mechanical instruments belong to this class.)

3. **Les instruments à anche libre** sont ceux dans lesquels la languette taillée dans le tuyau est exactement de la même dimension que l'orifice, de sorte qu'elle vibre librement lorsqu'on met l'air en mouvement en soufflant dans l'extrémité supérieure du tuyau ou dans l'embouchure d'un réservoir d'air. (Les orgues à bouche, les accordéons, les harmoniums, les orgues et beaucoup d'instruments mécaniques appartiennent à cette catégorie.)

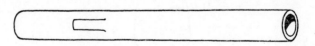

C. HORNS AND TRUMPETS

Horns and trumpets are instruments in which the compressed lips of the player set the air into motion. They are usually conical, but may be cylindrical or globular (conch shell trumpets). They may be made of metal, wood, horn, bamboo, ivory, shell, calabash, etc. They may be end-blown or side-blown. The mouth-hole may have a rim (side-blown) or have a separate mouth-piece (end-blown), but either type may have a simple mouth-hole. Finger-holes may occur.

C. CORS ET TROMPETTES

Les cors et les trompettes sont des instruments dans lesquels l'air est mis en vibration par la pression des lèvres du joueur. Ils sont généralement de forme conique, mais parfois cylindrique ou globulaire (conques). Ils peuvent être faits de métal, de bois, de bambou, de corne, d'ivoire, de coquillage, de calebasse, etc. . . . L'insufflation peut se faire à l'extrémité supérieure de l'instrument ou sur le côté. L'embouchure peut avoir un rebord (trompes traversières) ou un embout (les verticales) mais l'un ou l'autre instrument peut n'avoir qu'une embouchure simple. Le tuyau peut être percé de trous de jeu.

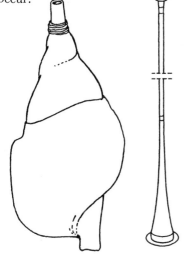

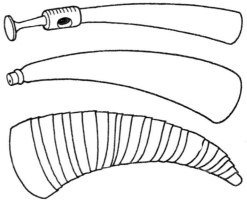

29

D. OUTER-AIR INSTRUMENTS

These act directly on the air. The bullroarer is the principal instrument of this class.

D. INSTRUMENTS À AIR AMBIANT

Ces instruments agissent directement sur l'air. Les rhombes sont les principaux exemplaires de cette catégorie.

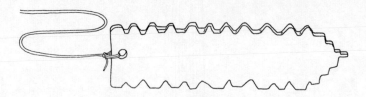

Cordophones

CORDOPHONES, or stringed instruments, have strings held at tension, which are sounded by plucking (with fingers or a plectrum), bowing, striking, or occasionally by wind. Their construction gives us the following types:

A. MUSICAL BOWS AND HARPS

1. **Musical bows** consist of a bow with a string attached. They may have a separate resonator or an attached resonator. Musical bows are sounded by plucking, striking, or by friction.

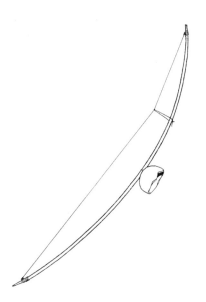

Cordophones

Les CORDOPHONES, ou instruments à cordes, ont des cordes tendues qui résonnent lorsqu'elles sont pincées (par les doigts ou un plectre), frottées, frappées ou actionnées par le vent. Selon leur mode de fabrication, on distingue les catégories suivantes:

A. ARCS MUSICAUX ET HARPES

1. **Les arcs musicaux** sont constitués par des arcs reliés aux deux extremités par une corde. Ils peuvent être munis d'un résonateur, séparé ou attaché, et sont mis en vibration par pincement, percussion ou friction.

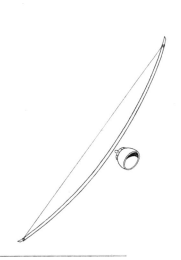

2. **Compound musical bows** are formed by placing several musical bows on to one resonator.

2. **Plusieurs arcs musicaux** fixés sur un même résonateur forment un arc musical composé, ou pluriarc.

3. **A harp** is an instrument in which the bow is an arched or angled rigid neck with a resonator (sound-box) permanently fixed to it. The strings are attached to the sound-box and run at an oblique angle to the neck with a mechanical method of tuning (pegs, rings, etc.). A frame harp has a pillar added between the ends of the sound-box and the neck. The strings of a harp are plucked.

3. **Une harpe** est un instrument dont l'arc est un manche ou "console" rigide, arqué ou angulaire muni d'un résonateur fixe (caisse de résonance). Les cordes sont attachées à cette caisse et tendues obliquement jusqu'à la console par un système mécanique de tension (chevilles, frettes, etc. . . .). Dans la harpe à cadre, une colonne joint les extrémités de la caisse de résonance et de la console. Les cordes de la harpe sont pincées.

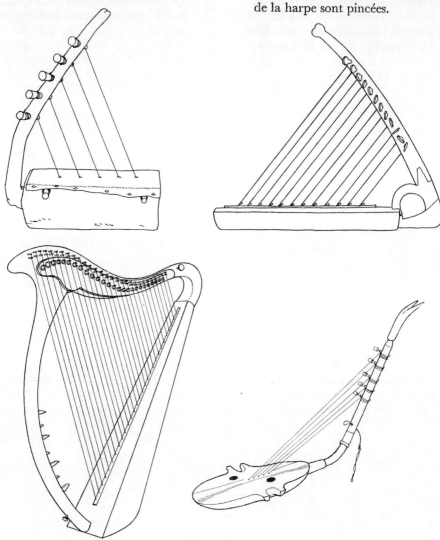

B. **LYRES** consist of a body (covered box or bowl) with two arms and a cross-bar at the top. The strings are attached either to the base of the sound-box and run over a bridge, or to the bridge itself, fastening at the other end to the cross-bar. They always run parallel to the surface of the sound-box. They may be plucked with the fingers, or with a plectrum, or may be bowed.

B. **LES LYRES** sont formées d'un corps (boîte fermée ou cuvette) supportant deux bras réunis à la partie supérieure par une barre transversale. Ou bien les cordes sont fixées à la base de la caisse de résonance et passent au dessus d'un chevalet, ou elles sont fixées au chevalet lui-même et s'attachent, à l'autre extrémité, à la barre transversale. Elles sont toujours tendues parallèlement à la surface de la caisse de résonance. Elles peuvent être pincées par les doigts ou avec un plectre, ou peuvent être frottées avec un archet.

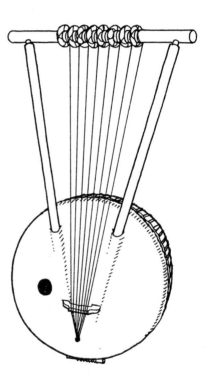

C. **LUTES AND FIDDLES** consist of a sound-box and a neck (which may be simply an elongation of the body). The string or strings are stretched across a bridge from the base or near the base of the sound-box to the end of the neck. The vibrating length of the strings may be changed while playing by stopping with the fingers. The strings may be pressed on to the neck, or touched from the side without contact with the neck. Lutes are plucked or bowed; in the latter case they are commonly called fiddles. Lutes and fiddles have a great variety of forms.

C. **LES LUTHS ET VIÈLES** consistent en une caisse de résonance et un manche (qui peut n'être qu'un prolongement du corps). La corde – ou les cordes – sont tendues au travers du chevalet, depuis la base – ou près de la base – de la caisse de résonance jusqu'à l'extrémité du manche. On peut en jouant modifier la longueur de vibration des cordes en les pressant avec les doigts. Les cordes peuvent être pressées sur la touche ou effleurées par les doigts latéralement, sans contact avec la touche. Les luths et vièles sont soit pincés soit frottés avec un archet; dans ce dernier cas on les dénomme vièles. Luths et vièles peuvent présenter des formes très diverses.

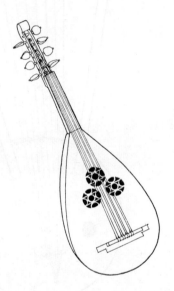

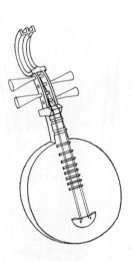

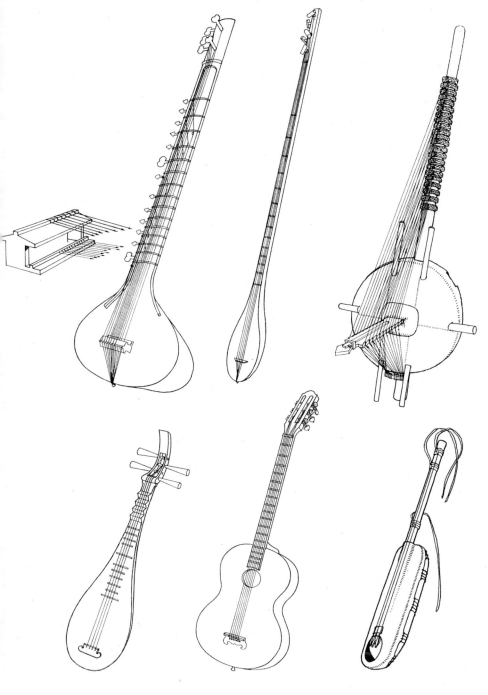

35

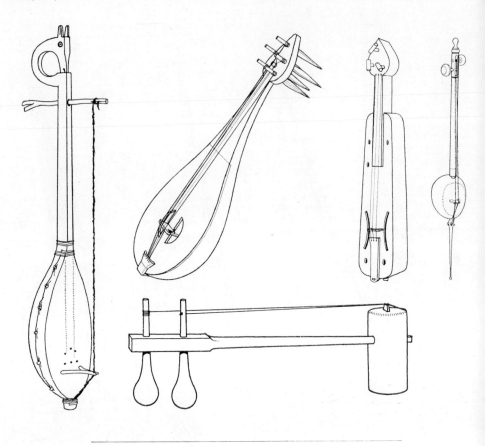

Complex forms exist (hurdy-gurdies, nyckelharpa, etc.).

Des formes complexes existent: vièles à roue, nyckelharpa, etc.

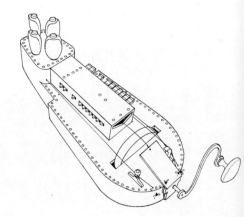

D. **ZITHERS** are instruments whose strings are stretched over bridges, separated or incorporated in the body, across the entire instrument and parallel to the body. A resonator may be added, but more commonly the entire instrument acts as resonator. The strings of a zither may be plucked, struck, rubbed or bowed. Zithers may be divided into:

1. **Stick or bar zithers,** in which a stick or bar forms the instrument, along which runs the string, and the resonator, usually gourd, hangs below.

D. **LES CITHARES** sont des instruments dont les cordes, passant sur des chevalets, sont tendues parallèlement à l'instrument sur toute sa surface. Un résonateur peut être ajouté, mais en général l'instrument entier sert de caisse de résonance. Les cordes d'une cithare peuvent être pincées, frappées, frottées avec les doigts et, exceptionnellement, avec un archet, etc. . . . On peut diviser les cithares en:

1. **Cithares sur bâton,** ou l'instrument est formé d'un bâton ou d'une barre, surmonté d'une ou de plusieurs cordes. Le résonateur, en général une calebasse, est attaché sous l'instrument.

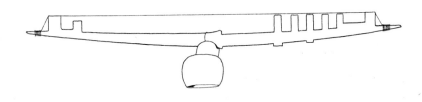

2. **Tube zithers** consist of a tube from which part of the outer skin is cut lengthwise and raised over bridges to form strings (split-stringed instruments). Sometimes external strings may be attached to the tube.

2. **Cithares sur tuyau,** où des lamelles ont été détachées de la surface de la tige végétale, coupées dans le sens de la longueur, soulevées et placées sur des chevalents pour former les cordes (instruments à cordes découpées). On attache aussi parfois au tuyau des cordes rapportées.

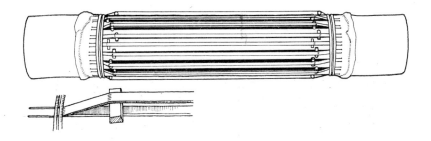

When several tube zithers, each with one string, are bound together alongside each other they are called a **raft zither.** Raft zithers may also have additional resonators.

Lorsque plusieurs cithares su♦ tuyau, à corde unique, sont liée♦ ensemble côte à côte, elles con♦ stituent une **cithare-radeau.** Le♦ cithares-radeaux sont parfois mun♦ ies de résonateurs supplémentaires♦

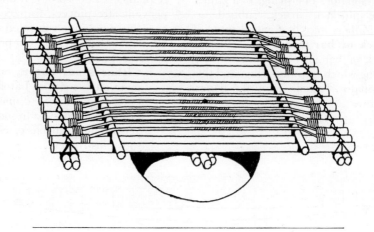

3. **Trough zithers** are hollowed pieces of wood or boxes, which act as resonators, the strings being stretched lengthwise over the trough. An additional resonator may be added.

3. **La cithare en chéneau** est con♦ stituée par une pièce de bois ou pa♦ une caisse, creusée dans sa longueu♦ et qui sert de résonateur, les corde♦ étant tendues au-dessus, d'un bou♦ à l'autre. On peut y ajouter u♦ résonateur supplémentaire.

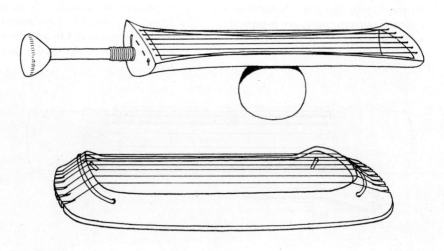

4. **Board zithers** have a flat (or slightly arched) surface, and the strings are stretched lengthwise along the entire board. They are raised on to bridges which may be individual, collective or a combination of both. Resonators are in general incorporated with the board, but may be added.

4. **Les cithares sur table** ont une surface plate ou légèrement incurvée et les cordes sont tendues dans la longueur sur toute la surface de la planche. Elles sont individuellement ou collectivement—parfois les deux —soulevées par des chevalets. Un résonateur peut être ajouté, mais il est en général incorporé dans la table.

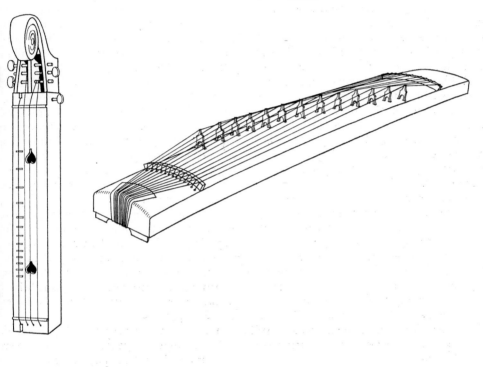

RESTORATION

Genuine restoration of instruments from Africa, Asia and the Americas is usually difficult and often impossible. The amount of technical assistance and money available; the possibility of obtaining material from the area of origin; the desirability of using the instrument for demonstration or concerts; display space (or the lack of it); the type of cases used; the ethnological and/or artistic value of the instrument: these and other factors determine which instruments will be restored, and how thoroughly.

The curator, having decided to restore a specimen, should attempt to do as genuine a restoration as possible, especially in two groups of instruments: European folk instruments, and non-European classical instruments.

a. European folk instruments are most often still in use in the country of their origin. The museum there (see the *Directory of the World's Musical Instruments* collection, to be published shortly by ICOM), or the university music or anthropology department will usually be able to suggest where the materials can be obtained. Sometimes local instrument-makers still exist, and they will repair instruments sent to them.

b. Classical instruments from China, Japan, Indonesia, India, Iran and the Arab countries have been well described and illustrated (see the selective bibliography). They can therefore be identified, and once the provenance and local name are known, it is often possible to obtain the necessary materials. Some museums and many universities send out field expeditions (anthropological, botanical, medical, etc.) which are usually willing to cooperate. Missionaries

RESTAURATION

Restaurer des instruments provenant d'Afrique, d'Asie, d'Amérique, en respectant leur authenticité, est presque toujours difficile et souvent impossible. Différents facteurs interviennent dans le choix des instruments qui doivent être remis en état et aussi dans la décision du point auquel devra être poussée la restauration; il faut tenir compte des disponibilités financières, de l'habileté des artisans dont l'on dispose, des possibilités d'obtenir des pays d'origine les matériaux nécessaires, du besoin que l'on éprouve d'utiliser ces instruments pour illustrer conférences et concerts ou pour des démonstrations en public, de l'espace réservé à la présentation —ou du manque d'espace—du type des vitrines et enfin de la valeur ethnologique ou artistique de l'instrument.

Le conservateur ayant décidé de procéder à la restauration d'un certain "spécimen" doit s'appliquer à effectuer celle-ci avec le plus grand souci d'authenticité, spécialement s'il s'agit de deux groupes: les instruments populaires d'Europe et les instruments classiques non Européens.

a. Les instruments populaires d'Europe sont généralement encore en usage dans leur pays d'origine. Le musée local (voir le *Répertoire des Musées et Collections d'Instruments de Musique* que doit publier prochainement l'ICOM) ou le département d'anthropologie, d'ethnographie ou de musique de l'université de la même région sont susceptibles, généralement, d'indiquer où l'on peut trouver les matériaux. Parfois, des facteurs d'instruments existent encore sur place et sont prêts à faire eux-mêmes la réparation.

b. Les instruments classiques de la Chine,

also are often helpful; so too are the music schools in the country concerned—and contacts once made can be maintained.

If, however, the instrument is intended to be played, it is usually desirable—and certainly cheaper—to buy a modern instrument, rather than to attempt to restore an old one.

Non-European folk instruments present a much greater problem. With a few exceptions, the literature is scanty and sketchy, so that exact identification is not easy. Even where the tribe *can* be identified, it is unlikely that someone will be going to that exact area, and even less likely that he will be able to transport materials back to the museum. One problem, however, is more or less eliminated: the instruments need not be put into playing condition, but are meant for display and/or research.

In restoring instruments for display purposes only, a "mock-up" is usually made. That is, a photograph of what the instrument should look like is obtained, and the appearance of the museum specimen is made to resemble that of the photograph as closely as possible, using the nearest approximation of the indigenous materials.

There is, however, another school of thought in display restoration. Some curators prefer to use nylon strings and other obviously new materials in order to indicate exactly which parts have been restored—just as archaeologists, in reconstructing a pot, may use white plaster of Paris to differentiate the reconstruction from the genuine.

In general, however, it is preferable to restore to natural appearance—*provided* that exact records, including photographs before and during the restoration, are kept of all the work done.

Most ethnographical museums have a technical department, and the experience of its members will often determine the nature of the restoration. Some other aids, however, should be mentioned here. The

du Japon, de l'Indonésie, de l'Inde, de l'Iran et des pays arabes ont été bien décrits et reproduits (voir la bibliographie sélective). Ils peuvent, ainsi, être facilement identifiés et, lorsque la provenance et le nom vernaculaire sont connus, il est souvent possible d'obtenir les matériaux nécessaires à la restauration. Certains musées et universités envoient des missions sur le terrain: anthropologiques, botaniques ou médicales, etc. ... qui, d'ordinaire, collaborent volontiers. Les missionnaires, eux aussi, apportent souvent leur aide, comme le font les écoles de musique du pays; les contacts, une fois établis, se maintiennent la plupart du temps.

Si les instruments sont destinés à être joués, il est préférable, en général, et moins coûteux, d'acquérir un instrument moderne plutôt que d'en restaurer un ancien.

Les instruments populaires non-européens soulèvent un problème plus important. A quelques exceptions près, la documentation sur ceux-ci est rare et peu systématique, de sorte que l'identification exacte est difficile. Même quand on a pu identifier l'ethnie de provenance, il est peu fréquent que l'on connaisse quelqu'un qui se rende précisément dans la région concernée et il est encore moins vraisemblable qu'il ait la possibilité de rapporter au musée les matériaux nécessaires. Lorsque les instruments n'ont pas à être mis en état d'être joués, mais seulement destinés à être exposés et à servir de sujet d'étude, le problème qui vient d'être évoqué s'élimine de lui-même.

Quand on ne restaure les instruments que pour les exposer, on peut avoir recours à un procédé factice: à partir d'une photographie de l'instrument tel qu'il devrait être on donne à la pièce du musée un aspect aussi proche que possible de celui représenté, en se servant de matériaux voisins de ceux employés à l'origine.

Standard works on museum conservation will be found in the selective bibliography (see p. 57). These will often suggest new methods which have proved successful. In addition, there is a school for training African technical assistants and curators in conservation of African ethnographic specimens; writing to the Director, Training Centre for Museum Technicians, Jos, Nigeria, will often help with specific problems.

Cependant d'autres principes sont parfois appliqués aux restaurations faites seulement "pour la vue". Certains conservateurs préfèrent se servir de cordes de nylon et d'autres matériaux nouveaux pour mettre en évidence les parties refaites, agissant ainsi comme l'archéologue, qui, en reconstituant une poterie, utilise le plâtre qui permet de distinguer la reconstitution de l'original.

En général, il est préférable de redonner à un instrument son aspect premier, à condition que soit conservée une documentation précise sur le travail accompli, y compris des photographies prises avant et pendant le processus de restauration.

La plupart des musées ethnographiques possèdent un laboratoire technique et l'expérience de ses membres permet souvent de déterminer la nature de la restauration à effectuer. D'autres appuis doivent être mentionnés ici. Les ouvrages essentiels sur la conservation dans les musées sont cités dans la bibliographie sélective (p. 57). Ceux-ci pourront sourvent suggérer de nouvelles méthodes qui se sont révêlées efficaces. De plus, il existe une école pour former des assistants techniques aux méthodes de conservation de collections ethnographiques africaines; vous pouvez écrire au directeur du Centre de Formation Bilingue de Techniciens de Musées à Jos (Nigéria), qui vous aidera à résoudre vos problèmes.

CONSERVATION AND STORAGE

Once the registration number has been appended to a musical instrument it is sent to the storeroom. It is here that the question arises of a general method of storing. Since the conditions of storage vary with the material to be stored, the most practical method would seem to be the one that takes this factor primarily into account. But musical instruments are among the most composite of objects. For instance, an ivory trumpet that might be considered in appearance the simplest of instruments, often has a wooden bell, fabric straps, or has been repaired with a resin mixture, etc. The slitdrums cut out of a single block of wood have often been repaired by filling in the cracks with resin or by holding them together with metal clamps, while the drumsticks are made of wood with a rubber knob on the end, etc. Any solution therefore can only be a compromise and a number of things have to be considered, the principal of which are:

a. the materials of which the instrument is made
b. the size of the objects
c. classification
d. the geographical origin of the collection

In regard to the last two, it must be pointed out here that there is a superabundance of musical instruments—particularly in Africa—that are not stringed, wind or membraned percussion instruments. Consequently they require numerous storerooms or cupboards. This can be a decisive factor if future acquisitions are expected.

The best solution is to let oneself be guided by considerations c. and d. Fortunately we know the average conditions of storage that satisfy the needs of the

CONSERVATION ET MAGASINAGE

Une fois pourvu de son numéro d'inventaire et les opérations préliminaires au magasinage une fois terminées, l'instrument de musique est acheminé vers les locaux destinés à l'héberger. Les conditions de conservation variant avec le matériel à conserver, il semblerait que la façon la plus pratique de ranger un instrument soit de tenir compte, avant tout, des matériaux employés pour sa confection. Mais l'instrument de musique est un des objets les plus composites qui soient. Les appareils apparemment les plus simples, tels que les trompes en ivoire, présentent souvent des pavillons en bois, des bandoulières en étoffe, des réparations à la résine, etc. . . . . Les tambours à fente, monoxyles par excellence, ont des fissures bouchées à la résine ou réparées par des agrafes métalliques, des mailloches à bout caoutchouté, etc. . . . . La solution à adopter doit être un compromis; elle doit s'inspirer de considérations multiples au nombre desquelles on compte principalement:

a. les matériaux employés
b. l'encombrement des objets
c. la catégorie organologique
d. l'origine géographique de la collection

Au sujet de ces deux derniers points de vue, ouvrons dès à présent une parenthèse importante: les instruments qui ne sont ni à cordes, ni à vent, ni à membrane percutée forment, surtout en Afrique, une classe pléthorique. Il est donc nécessaire de leur réserver des locaux ou des armoires en nombre. Ceci est déterminant si l'on prévoit des collectes ultérieures.

La meilleure solution consiste à s'inspirer surtout des considérations émises aux points c. et d. On connaît heureusement des procédés de conservation qui

different materials. If the instruments are arranged according to categories and, within these, further classified according to their origin (tribe, region or country) a rational and didactic classification is obtained and this generally conforms to the dimensions of the instruments.

Every object tends towards a physico-chemical equilibrium with the surrounding air. It is therefore essential to avoid sudden variations in these conditions. Whether the instruments are on display in a gallery or in storage, the atmospheric conditions must satisfy two important demands. These are:
  1. Stability
  2. Cleanliness
We shall consider successively:
  A. The storerooms and general conditions that are to exist there
  B. The cupboards that are to house the collections
  C. Method of arrangement

A. **Atmosphere in the storerooms**
  1. STABILITY

This depends on two fundamental factors that must be maintained strictly constant. First, the heat, measured by the temperature; secondly the humidity, measured in terms of Relative Humidity [1].

The R.H. must be maintained constant at between 50 and 60% for temperatures ranging from 20 to 25°C. (60–75°F.). As long as the temperature remains within these limits it can be chosen to suit the comfort of visitors. It is sufficient that it be maintained reasonably constant. Without air conditioning, any variation in the temperature affects the R.H.

Let us consider the effects of variations in R.H. Excess of moisture can:

—warp wooden panels or ivory figures

[1] Relative Humidity (which we shall thenceforth designate by the initials R.H.) is the actual quantity of water vapour in a given volume of air at a given temperature (p) expressed as a percentage of the amount contained at saturation point in the same volume at the same temperature (P). The formula is: R.H. = (p/P × 100)% at T° C.

satisfont aux conditions exigées par la disparité des matériaux. En rangeant les instruments de musique par classe, puis selon leurs origines (tribus, régions, pays), on obtient un classement rationnel et didactique, qui répond généralement aux nécessités imposées par les dimensions.

Tout objet cherchant à se mettre en équilibre physico-chimique avec son milieu, il importe de ne pas provoquer de variations brusques de ce milieu. Que ce soit en galerie d'exposition ou en magasin, l'atmosphère où baignent (nous serions tentés de dire où vivent) les instruments de musique doit répondre à deux critères impératifs; elle doit être:
  1. Stable
  2. Saine
Nous allons passer successivement en revue:
  A. Les locaux des magasins et les conditions générales à y faire régner
  B. Les armoires destinées à recevoir les collections
  C. Le mode de rangement

A. **Atmosphère des locaux**
  1. STABILITÉ

Elle dépend de deux composantes fondamentales qui exigent d'être maintenues rigoureusement constantes. Il s'agit de la chaleur, caractérisée par la température, et de l'humidité, mesurée par le degré d'humidité relative[1].

Cette R.H. doit être stabilisée autour de 50 à 60% pour des températures de 20 à 25° C (60 à 75°F). Si la température ne passe pas par des valeurs extrêmes, elle

[1] Nous désignons désormais cette dernière par les initiales: R.H. (relative humidity). *L'humidité absolue* est le poids de vapeur d'eau (p) contenu dans un volume ou dans un poids donné d'air humide à une certaine température. *L'humidité relative* est le rapport, exprimé en pourcentage, entre le poids de vapeur d'eau (p) effectivement contenu dans un volume d'air donné et le poids maximal de vapeur d'eau que ce volume d'air pourrait contenir (P) à la même température (T). Ce qui donne la formule: H.R. = (p/P × 100) % pour T° C.

—tighten fabrics
—soften glues
—cause blooming of varnished surfaces
—corrode metals, etc.

Excess of dryness can:
—make ivory crack
—make glues brittle
—deform panels
—cause fabrics to slacken
—stretch linen canvas

If there is variation in R.H., i.e. cycles of wetness and dryness, then in the case of stone and terracotta objects, absorbed soluble salts will be activated, and will crystallise on the surface causing it to flake.

A special problem arises in winter in temperate climates when storerooms are centrally heated. Since a rise in temperature brings about a corresponding lowering of the R.H., musical instruments must not be kept in the vicinity of a source of heat (or even of light). A rough way of correcting insufficient humidity is to place containers filled with water on the radiators. There exists, also, a whole range of humidifiers either portable or fixed[1].

Sudden changes in the R.H., due for example to rapid variations in the weather or to a breakdown in the heating system or air conditioning, can be counteracted. The use of curtains, hangings or carpets made of natural fibres and wood used for making furniture tend to stabilise the R.H. since they absorb excess moisture and give up moisture in an over-dry atmosphere.

In warm wet weather prolonged periods of high R.H. cause mould growth and rust. This is when daily inspection is most necessary. A simple remedy consists in the use of mould inhibitors[2], but these are only effective if the storing cupboards are hermetically sealed.

peut être choisie en vue du confort des visiteurs. Il suffit qu'elle soit maintenue raisonnablement constante; en l'absence d'air conditionné, toute variation de température affecterait la R.H.

Voyons quels sont les effets des variations de la R.H. Un excès d'humidité:
– gauchit les panneaux de bois et les ivoires
– rétrécit les tissus
– ramollit les adhésifs
– provoque le bleuissage des vernis
– corrode les métaux, etc.

Un excès de sécheresse:
– fend les ivoires
– rend les adhésifs cassants
– déforme les panneaux
– dilate les tissus
– détend les toiles, etc.

En cas de variation cyclique de la R.H. (alternance de périodes humides et sèches), les sels solubles absorbés par les objets en pierre ou en terre cuite sont resolubilisés et cristallisent à la surface en provoquant des détériorations.

Un problème spécial se pose en hiver dans les régions tempérées où les locaux sont pourvus d'un chauffage central. Une augmentation de la température intérieure amenant une baisse corrélative de la R.H., il importe d'éloigner les instruments de musique des sources de chaleur (et même de lumière). Il existe une solution de fortune pour rétablir le taux d'humidité: elle consiste à placer des recipients d'eau sur les radiateurs. On connaît également une gamme d'humidificateurs portatifs et permanents[1].

Il existe des moyens d'action contre les variations soudaines de la R.H. dues, par exemple, à un changement brusque du temps ou à une panne dans le système de chauffage ou de conditionnement en

[1]See AMDUR, Elias J. Humidity control-isolated area plan, in *Museum News*, Dec. 1964, pp. 58-60; BUCK, Richard D. A specification for museum air-conditioning, in *Museum News*, Dec. 1964, pp. 53-7.
[2]e.g. lauryl pentachloroprenate or D.D.T.

[1] Voir ADMUR, Elias J. Humidity control-isolated area plan, *Museum News*, Déc. 1964, pp. 58/60.
BUCH, Richard D. A specification for museum air conditioning, *Museum News*, Déc. 1964, pp. 53/57.

Rust can be prevented by the use of strong desiccants, such as "self-indicating" silica gel. The quantity necessary is 1 kg per 2 cubic metres of drawer. If its normal blue colour when dry turns pink, it can be regenerated by heating.

If all these measures prove ineffective, dehumidifiers are the only solution[1].

In the case of large storerooms it may be necessary to instal some form of ventilation to ensure adequate air circulation so as to prevent the possible build-up of local areas of high R.H.

It is also necessary to install a suitable hygrometer to register the atmospheric conditions in the storeroom. The instrument should also be checked periodically by using a whirling (or sling) hygrometer. This can also be used to check the conditions in different parts of a large storeroom.

2. CLEAN AIR

The main enemies of any collection are three in number. These are:

    A. dust
    B. chlorides
    C. sulphur compounds

A. The remedy for the first is obvious. Regular use of a vacuum cleaner is sufficient to prevent its intrusion. Once again, cupboards and cases where instruments are kept should possess tightly fitting doors, and this is both economical and effective.

B. Chlorides abound in marine atmospheres and are even present in the air at some distance from the coast. It is these principally that corrode metals. Here again, the appropriate remedy is to enclose the collections in hermetically closed storerooms and cupboards.

C. Sulphur compounds: Sulphur dioxide (SO_2) is present in the air particularly in industrial areas and towns. This is injurious because it forms sulphuric acid which attacks organic materials, especially textiles and leather. Hydrogen sulphide

général. L'emploi de rideaux, de tentures, de tapis en fibres naturelles, de bois pour la fabrication des meubles, égalise les variations en agissant comme réservoirs, absorbant et restituant l'humidité.

En saison chaude et pluvieuse, de longues périodes de haute R.H. amènent une prolifération de moisissures et une apparition de rouille. C'est à ce moment que les inspections quotidiennes s'imposent le plus. Des remèdes peuvent être facilement apportés par l'emploi d'inhibiteurs de moisissures[1], pour autant que les meubles du conservatoire soient suffisamment hermétiques.

L'apparition de rouille peut être combattue par l'usage de dessicants énergiques, tel le gel de silice à raison d'un kg par 2 m³ de tiroir. Si la couleur bleue du produit vire au rose, on peut le régénérer par la chaleur.

Si tous ces moyens s'avèrent inopérants, l'emploi d'appareils déshumidificateurs s'impose[2].

Si les dimensions du local de conservation sont importantes, un ventilateur fera circuler l'air et assurera une répartition équilibrée de sa composition. On préviendra ainsi une formation locale de poche d'air dont le degré de R.H. serait indésirable.

On installera également un hygromètre enregistreur fixe qui relèvera les conditions atmosphériques ambiantes. Cet appareil sera contrôlé périodiquement par l'emploi d'un hygromètre-psychromètre fronde. On se servira en plus de ce dernier pour des sondages locaux en différents endroits du magasin.

2. SALUBRITÉ DE L'ATMOSPHERE

Les ennemis principaux de toutes collections sont principalement au nombre de trois, à savoir:

---

[1] refrigerative dehumidifier or desiccant dehumidifier.

[1] Vaporisation de lauryl pentachlorophénol ou application d'hydrocarbures chlorurés.
[2] Déshumidificateur à réfrigération, modèle mobile (Dehumid); déshumidificateur rotatif, modèle Rotaire.

causes tarnishing of metals such as silver and bronze.

We cannot insist too strongly on the necessity of preventing the effects of the above substances by enclosing the collections in hermetically sealed cupboards.

3. PARASITES

In the storage of musical instruments two agents of destruction have to be fought constantly:

(1) Woodworm

(2) Moths and other insects

(1) The most effective remedy has proved to be fumigation. The best fumigants are:

    a. hydrogen cyanide

    b. methyl bromide

    c. ethylene oxide

In addition there is a range of liquid products containing chlorinated hydrocarbons which have more lasting effects[1].

(2) The best means of eliminating these is to place paradichlorobenzene crystals in small dishes inside the cupboards or cases, and to be careful that it is *frequently* renewed since it is a volatile substance. This protects the objects against all kinds of parasites. The concentration should be about 1 kg per cubic metre of air space.

4. LIGHT

This has a harmful effect upon organic matter and varnish. It is necessary therefore to protect the objects to be stored by shutting out not only visible light but also ultra-violet.

Daylight can be dimmed by the use of Venetian blinds, but the most radical protection consists in storing them in cupboards that do not let in light.

B. **Cupboards used for storing collections**

For the reasons already stated above

    A. les poussières

    B. les chlorures

    C. les sulfures

A. Les moyens de lutte contre la poussière sont évidents. Il suffit de faire obstacle à son intrusion par l'emploi régulier d'un aspirateur. Une fois de plus, une parfaite étanchéité des meubles destinés à abriter les collections s'avère aussi économique qu'efficace.

B. Les chlorures sont abondants en air marin et cela jusqu' à une certaine distance des côtes. Ce sont eux qui, principalement, corrodent les métaux. Ici encore, le remède le plus approprié consiste à enclore les collections dans des locaux et armoires hermétiques.

C. Les sulfures, spécialement l'anhydride sulfureux (SO_2), apparaissent surtout en milieu industriel et urbain; leur nocivité tient au fait qu'ils attaquent surtout les matières organiques, principalement les textiles et les cuirs, par formation d'acide sulfurique (H_2SO_4). L'hydrogène sulfuré (H_2S) noircit les métaux et alliages (l'argent et le bronze principalement).

Insistons sur le seul remède qui s'impose et que nous avons préconisé dans les cas précédents, à savoir l'étanchéité des meubles.

3. LES PARASITES

Le problème de la conservation des instruments de musique s'identifie à une lutte perpétuelle contre deux agents destructeurs:

    (1) les vers du bois

    (2) les insectes (principalement les mites)

(1) Le remède le plus efficace semble bien être la fumigation par les gaz en milieu confiné (chambre appropriée). Les gaz employés d'une façon courante sont:

    a. le cyanide d'hydrogène

    b. le méthylbromide

    c. l'oxyde d'éthylène

Il existe également une gamme de produits liquides contenant des hydro-

---

[1] e.g. basileum. These are applied by injection. Care must be taken to avoid discolouration of the surface.

cupboards must be:

(1) hermetically closed
(2) made of wood

(1) This can be assured if the doors of the cupboards are secured by means of mortise and tenon. It is wise to hang on the inside of the door a list of the contents of the cupboard with a card stating the origins of the instruments. This will save time and considerably simplify the finding of an instrument.

If such cupboards have not yet been acquired, the objects should be enclosed in plastic bags and stored away from the light. If possible the objects should be packed under dry conditions, otherwise the bags should be perforated to prevent condensation of moisture with change in temperature, thus building up high R.H. inside the bag and promoting possible mould growth.

C. **Method of arrangement**

In principle, instruments should be placed in such a way that the largest possible surface rests on the support. It is unnecessary to point out that they should never be placed one on top of the other.

(1) Small objects should be laid flat, preferably in box-drawers. This method is both practical and advisable for storage in a confined space.

(2) Large objects should be attached inside the cupboard. The best way is to fix a perforated board (the holes should be roughly 10 cm. apart) to the inside back of the cupboard. The instruments will be held in place at one of their extremities by means of hooks introduced into the holes. The cupboards can be divided up by shelves, but this is not absolutely necessary. Instead, two parallel bars of wood can be used and in the case of harps, for instance, this is more convenient. The distance between the individual bars is determined by the largest longitudinal measurement of the smallest soundbox. Larger harps can be accommodated in the

carbures chlorurés dont l'application est plus persistante[1].

(2) Le moyen de lutte le plus recommandé consiste à placer dans les armoires de petits récipients contenant des cristaux de paradichlorobenzène et à veiller au renouvellement *fréquent* de ce produit volatil. Sa concentration doit être de l'ordre de un kg par m^3.

4. LA LUMIERE

Celle-ci exerce un effet nocif sur les matières organiques et les vernis. Il convient donc d'isoler les objets à conserver non seulement des rayons visibles du spectre, mais également des U.V., par une occultation permanente.

L'emploi de stores vénitiens permet de tamiser la lumiére dans une certaine mesure, mais le moyen de protection le plus radical consiste encore en une parfaite opacité des meubles de conservation.

B. **Les armoires destinées à abriter les collections**

De tout ce qui vient d'être dit, il résulte que les armoires doivent être:

1. hermétiques et opaques
2. fabriquées en bois

Les conditions d'étanchéité sont remplies si les portes sont munies, sur leur tranche de fermeture, d'un système de mortaise et de tenon. L'apposition sur la face interne de la porte de tableaux mentionnant le contenu de l'armoire et d'une carte donnant les origines des instruments conservés sera bien utile et évitera souvent de longues recherches.

En attendant l'acquisition de meubles adéquats, il est souhaitable d'enfermer les objets dans des sacs en matière plastique entreposés à l'abri de la lumière. Si la chose est possible, les objets devront être conservés en atmosphère sèche. Si tel n'est pas le cas, ces sacs devront être

[1] Le basileum par exemple. On peut procéder par injection. En application, il a l'inconvénient d'altérer la patine des objets.

48

space between the bars. In each case, as already stated, a hook will hold the pillar firmly against the perforated board.

perforés en quelques endroits car la condensation d'eau qui se produirait en milieu trop hermétique risquerait d'entraîner l'apparition de moisissures.

C. **Le mode de rangement**

Le principe dont on doit s'inspirer consiste à faire reposer les instruments sur la plus grande partie possible de leur surface. Il conviendra, cela va de soi, de ne jamais empiler les objets.

(1) Les petits objets: le rangement doit se faire à plat, et de préférence dans des tiroirs. Ce système conjugue l'avantage d'être pratique avec celui de permettre une conservation en milieu confiné.

(2) Les grands objets ceux-ci devant être attachés dans l'armoire, une solution heureuse consiste à appliquer sur le fond une plaque perforée (unalit dur ou matière similaire, bois par exemple; distance moyenne entre les perforations: ± 10 cm). Des crochets introduits dans les trous de la plaque permettent d'assujettir les objets par une de leurs extrémités au fond de l'armoire. Cette dernière peut être compartimentée par des étagères, mais ceci n'est pas d'une nécessité absolue. Prenons le cas des harpes par exemple. Les étagères peuvent être avantageusement remplacées par deux barres de bois parallèles. La distance qui les sépare sera donnée par la plus grande dimension longitudinale de la plus petite caisse de résonance. Les harpes de plus grandes dimensions s'installent d'elles-mêmes entre les deux barres. Dans chaque cas, un crochet maintient le joug, comme nous l'avons dit plus haut, parfaitement appliqué contre la paroi perforée.

NOTES FOR FIELD COLLECTORS

Ethnic musical instruments are generally collected in the region where they are used. Therefore we have provided some notes for field collectors (see below) which cover the essential documentation for each instrument. This is necessary for the museum staff, as without such information the instrument has no scientific value.

Field inventory no. ....

What is the name of the instrument in the language used in the ethnic group ?

    give also word-for-word translation

Which is the ethnic group: producer: user:

Is the use of the instrument:
    secular ☐   religious ☐   both secular ☐
    Remarks   and religious

Is the place of use:
    unchangeable ☐   restricted ☐   variable ☐
    Remarks

Is the time of use: regular ☐   variable ☐
    Remarks

Is the instrument locally: common ☐   rare ☐

Who are the traditional users:
    men ☐   women ☐   both men and women ☐
    adults ☐   children ☐   both adults and children ☐
    Social status of players ?
    Are they professional ?
    Are there restrictions ?

Is the property of the instrument: individual ☐   collective ☐

Where is the object placed when not in use ?

Is the instrument played: alone ☐
    as part of an ensemble   of similar instruments ☐
                        of different instruments ☐

Does the instrument accompany: songs ☐   dances ☐
                                 spoken words ☐

Can the instrument be used for a non-musical purpose?
    which one ?

How is the instrument played ? (Give brief description, sketch, photos or film)
    position of the player:
    position of the instrument:

Name the different parts of the instrument and the materials in which they are made (also in the vernacular, with word-for-word translation).

Sound recording:
    1.   Each sound separately and consecutively recorded.
    2.   Record of a musical piece.

GUIDE D'ENQUÊTE
POUR LA COLLECTE
SUR LE TERRAIN

Les collections d'instruments de musique ethniques se constituent principalement sur le terrain auprès des populations qui les emploient. En conséquence, il a paru nécessaire de donner au collecteur un *Guide d'enquête* (modèle ci-après) qui lui permettra de consigner sur chaque instrument collecté une documentation indispensable au muséologue et sans laquelle un objet perd sa valeur scientifique.

No. d'inventaire du collecteur ....

Quel est le nom de l'instrument dans la langue de la population:
    traduction littérale

Quel est le groupe ethnique   producteur: utilisateur:

L'usage de l'instrument est-il:
    profane ☐   religieux ou rituel ☐   l'un et l'autre ☐
    Observations:

Le lieu d'utilisation est-il:
    fixe ☐   réglementé ☐   indéterminé ☐
    Observations:

La période d'utilisation est-elle: fixe ☐   indéterminée ☐
    Observations:

L'instrument est-il localement: répandu ☐   rare ☐

Quels sont les utilisateurs traditionnels:
- hommes ☐
- adultes ☐

femmes ☐
enfants ☐

les uns et les autres ☐
les uns et les autres ☐

Quel est leur statut social ?
Sont-ils des musiciens professionnels ?
Y'a-t-il des interdits les concernant ?

La propriété de l'instrument est-elle: individuelle ☐ collective ☐

Où place-t-on l'instrument lorsqu'il n'est pas utilisé ?

L'instrument est-il joué: seul ☐
fait-il partie d'un ensemble d'instruments semblables ☐
d'instruments différents ☐

L'instrument accompagne-t-il : du chant ☐ de la danse ☐
de la parole ☐

L'instrument a-t-il un usage autre que musical ? Si oui, lequel ?

Description sommaire de la position de jeu:
du musicien
de l'instrument
(croquis, photos, films)

Nomenclature des différentes parties de l'instrument et des matières dont elles sont composées (dans la langue de la population, avec traduction littérale):

Enregistrement du son:
— chaque son enregistré séparément
— enregistrement d'une pièce musicale

IDENTIFICATION AND CATALOGUING

When he has acquired an instrument, the collector must attach an identification card (a model is given below), on which the following information must be completed: field inventory number, price, and reference to any photograph or sound recording. In addition, if there is time, it is desirable to complete the card before dispatching the instrument because the information on the card is essential for museum registration.

	Museum Nº	Field inventory Nº
Object Nº ○	Designation	
	Object found ☐ received ☐ bought ☐ from	
	Place	
Category / Tribe / Sub-Area / Area	Date when found or bought	Collector's Name
	Field trip or Expedition	Price paid
	Origin	
		Maker
	Ethnic group, or Species	
	Material & Technique	
	Function or use	
	○	
	Museum photo Nº	Negative Nº	Field photo Nº

	Description and Condition of object
	Measurements
	Remarks
	Collection file Nº

FICHE D'IDENTIFICATION ET CATALOGAGE

Au moment de l'acquisition, le collecteur attachera à chaque objet une fiche d'identification (modèle ci-après) sur laquelle il aura obligatoirement porté les indications suivantes: numéro d'inventaire de terrain, prix, références photographiques et phonographiques. En outre, il est souhaitable qu'avant l'expédition des objets au musée, cette fiche soit remplie aussi complètement que possible, car les informations consignées seront indispensables pour l'inscription des objets au registre d'inventaire du musée.

N° d'inventaire	Groupe ethnique	Lieu		

N° de l'objet au Musée   N° d'inventaire du collecteur

Nom de l'objet ou spécimen

Objet récolté ☐   reçu ☐   acheté ☐   Vendeur ou donateur

Localite

Date de l'acquisition   Nom du Collecteur

Voyage ou Mission scientifique   Prix

Origine

Artiste

Groupe ethnique ou Espèce

Matière & Technique

Fonction ou usage

Photo N°   Négatif N°   Photo inv. du Collecteur, N°

Description et État de l'objet

Dimensions

Observations

Dossier technique N°

This handbook has tried to give the curator certain tools to help him catalogue his collection of musical instruments. The information on the identification card and the collector's notes, as well as that obtained by the application of the classification system, enables the curator to catalogue the instrument on the catalogue card in use in his museum.*

Musical instruments, however, have certain characteristics which require a supplementary specialised catalogue card. This is in course of preparation by CIMCIM in conjunction with the ICOM International Committee for Documentation, and will appear in the next publication, which is concerned with research methods for musical instruments.

*We recommend as a general catalogue card the standard descriptive polyvalant card, a model of which is obtainable at the UNESCO-ICOM Documentation Centre, 1 rue Miollis, Paris 15e.

Nous avons essayé, dans ce manuel, d fournir au conservateur quelques instru ments de travail qui pourront lui facilite les opérations de catalogage. Les informa tions recueillies au moyen du guid d'enquête et de la fiche d'identification aussi bien que celles obtenues par la méthode de classification, pourront êtr consignées sur la fiche de catalogu général utilisée par son musée.*

Cependant, les instruments de musiqu présentent certaines particularités qu nécessitent une fiche specialisée complé mentaire. Celle-ci, en cours de préparatio par le CIMCIM en liaison avec le comit de l'ICOM pour la documentation muséo graphique, paraitra dans une prochain publication consacrée aux méthodes d recherche sur les instruments de musique

*Nous recommandons toutefois comme fiche d catalogue général la fiche descriptive polyvalent dont le modèle peut être obtenue au Centre d Documentation muséographique UNESCO-ICOM, 1 ru Miollis, Paris 15e.

SELECTIVE BIBLIOGRAPHY
This short bibliography has been selected because the books are all well illustrated and can therefore be of particular help to curators in identification.

BIBLIOGRAPHIE SELECTIVE
Cette brève bibliographie a été établie en choisissant de préférence des ouvrages abondamment illustrés qui peuvent aider le conservateur à identifier les instruments.

PERIODICALS OF SPECIALIST INTEREST
Ethnomusicology Newsletter, *continued as* Ethnomusicology, Middletown, Conn., 1953.
Journal of International Folk Music Council, Cambridge, 1949.

IDENTIFICATION
Andersen, J. C. Maori Music with its Polynesian Background. Thomas Avery & Sons, New Plymouth, N.Z., 1934.
Baines, A. Bagpipes. Oxford University Press, Oxford, 1960.
Baines, A. European and American Musical Instruments. Batford, London, 1966.
Baines, A. *ed.* Musical Instruments through the Ages (2nd edition). Penguin Books, London, 1965.
Baines, A. Woodwind Instruments and their History. Faber & Faber, London, 1957.
Berner, A. *et al.* Preservation and Restoration of Musical Instruments. Evelyn, Adams & Mackay, London, 1967.
Boone, O. Les Tambours du Congo Belge et du Ruanda-Urundi. Musée du Congo Belge, Tervuren, Belgium, 1951.
Boone, O. Les Xylophones du Congo Belge. Musée du Congo Belge, Tervuren, Belgium, 1936.
Buchner, A. Musical Instruments through the Ages. Spring Books, London, 1956.
Chottin, A. Tableau de la Musique Marocaine. Paul Geuthner, Paris, 1959.
Collaer, P. Ozeanien (Musikgeschichte in Bildern, Band 1, Lieferung 1). Deutscher Verlag für Musik, Leipzig, 1965.
Densmore, F. Monographs on American Indian Music and Instruments, in Bulletin of American Ethnology, Bureau of American Ethnology, 1910-1957.
Ellis, C. J. Aboriginal Music Making: Central Australian Music. Libraries Board of Southern Australia, Adelaide, 1964.
Fox Strangways, A. H. Music of Hindostan. Clarendon Press, Oxford, 1914.
Galpin, F. W. Music of the Sumerians . . . Babylonians and Assyrians. Strasbourg University Press, Strasbourg, 1955.
Harrison, F. & Rimmer, J. European Musical Instruments. Studio Vista, London, 1964.
Hickmann, H. 45 Siècles de Musique dans l'Egypte Ancienne. Larousse, Paris, 1956.
Hickmann, H. Agypten (Musikgeschichte in Bildern, Band 2, Lieferung 1). Deutscher Verlag fur Musik, Leipzig, 1961.

Izikowitz, K. Musical and Other Sound Instruments of South American Indians. Goteborg Wettergren & Kerber, Gothenburg, 1935.

Jenkins, J. Musical Instruments. Horniman Museum, London, 1970.

Kaudern, W. Musical Instruments in Celebes. Elanders Boktryckeri a Ktiebolag, Gothenburg, 1927.

Kirby, P. R. Musical Instruments of Native Races of South Africa. Oxford University Press, London, 1934.

Kunst, J. Hindu-Javanese Musical Instruments (2nd. edition). Martinus Nijhoff, The Hague, 1968.

Kunst, J. Music in New Guinea. Martinus Nijhoff, The Hague, 1967.

Lachmann, R. Musique des Orients. Jedermanns Bücherei Verlaghirt, Breslau, 1929.

Laurenty, J. S. Les Cordophones du Congo Belge et du Ruanda-Urandi. Musée du Congo Belge, Tervuren, Belgium, 1960.

Laurenty, J. S. Les Sanza du Congo. Musée du Congo Belge, Tervuren, Belgium, 1962.

Ling, J. Nyckelharpen (keyed fiddle). P.A. Norstedt, Stockholm, 1967.

McPhee, C. Music in Bali. Yale University Press, New Haven, Conn., 1966.

Malm, W. P. Japanese Music and Musical Instruments. Charles E. Tuttle, Tokyo, 1959.

Malm, W. P. Music Cultures of the Pacific, Near East, and Asia. Prentice Hall, Englewood Cliffs, N.J., 1967.

Marcuse, S. Musical Instruments: a Comprehensive Dictionary. Doubleday, New York, 1964.

Moule, A. C. Musical and Other Sound-producing Instruments of the Chinese. J.N.-China Brch. R. Asiat. Soc. Kegan Paul, Trench, Trubner, London, 1908.

Nketia, J. H. African Music in Ghana. Longman, London, 1962.

Ortiz, F. Los Instrumentos de la Musica Afro-Cubana. Ministerio de Educación, Havana, 1952-5.

Reinhard, K. Die Turkische Musik. Museum fur Völkerkunde, Berlin, 1962.

Rimmer, J. Ancient Musical Instruments of Western Asia. British Museum, London, 1969.

Sachs, C. Die Musikinstrumente Birmas und Assams. Verlag der Königlich Bayerischen Academie der Wissehschaften, Munich, 1917.

Sachs, C. Die Musikinstrumente Indiens und Indonesiens. Walter de Gruyter, Berlin, 1923.

Sachs, C. History of Musical Instruments. W. W. Norton, New York, 1940.

Sachs, C. Les Instruments de Musique de Madagascar. Institut d'Ethnologie, Paris, 1938.

Sachs, C. Real-Lexikon der Musikinstrumente (revised edition). Dover Publs., New York, 1964.

Sarosi, B. Die Volksmusikinstrumente Ungarns. Deutscher Verlag für Musik, Leipzig, 1968.

Tran Van Khe. Viet-Nam (Les Traditions Musicales). Buchet/Chastel, Paris, 1967.

Trowell, M. & Wachsmann, K. P. Tribal Crafts of Uganda. Part 2, Sound Instruments, by K. P. Wachsmann. Oxford University Press, Oxford, 1953.

Vega, C. Los Instrumentos Musicales Aborigines y Criollos de la Argentina. Editiones Centurión, Buenos Aires, 1949.

Vertkov, K. *ed.* Atlas of Musical Instruments of the USSR. State Music Publishers, Moscow, 1963. *In Russian.*

Yupho Dhanit. Thai Musical Instruments. Siva Phorn, Bangkok, 1957.

58

CONSERVATION

Conservation of Cultural Property with Special Reference to Tropical Conditions. Museums and Monuments Series XI. UNESCO, Paris, 1968.

Organ, R. M. Design for Scientific Conservation of Antiquities. Butterworth, London, 1969.

Plenderleith, H. J. The Conservation of Antiquities and Works of Art (revised reprint). Oxford University Press, Oxford, 1962.

Thomson, G. *ed.* London Conference on Museum Climatology (revised edition). International Institute for Conservation of Historic and Artistic Works, London, 1968.

Thomson, G. *ed.* Recent Advances in Conservation. Butterworth, London, 1963.

Printed by HARRISON AND SONS, LTD., Hayes, Middx.